To Jon

Just to remind you of
Nederland(s) ... we'll
miss you.

Love,
Julia
xxx

Good luck in England.
Hope to see you soon

Harry.

# WIJS

# WIJS

200 uitspraken van
denkers, dichters en dromers
voor een
maximaal leven

**servire**

servire

*Servire: nieuwe wegen naar wijsheid, inspiratie en spiritualiteit*

**www.boekenwereld.com**

Servire maakt deel uit van Kosmos-Z&K Uitgevers,
Utrecht/Antwerpen

Samengesteld door Redactie Servire,
met medewerking van Antoon Vanmeenen
© 2001 deze selectie: Kosmos-Z&K Uitgevers B.V., Utrecht
De vormgevingsaccenten in de citaten zijn niet afkomstig
van de auteurs.

Omslagontwerp: Teo van Gerwen Design
ISBN 90 215 3571 8
D/2001/0108/333
NUGI 503

## WIJS

Wij hebben deze uitspraken van denkers, dichters en dromers voor u verzameld omdat wij hopen dat u er plezier aan beleeft en wellicht ook inspiratie uit kunt putten. Wij hebben gestreefd naar een bloemlezing vol veelzijdigheid. Van spirituele wijsheden, doordenkertjes, poëziefragmenten, een snuifje humor en af en toe een dwarse opmerking hebben wij een 'gemengd boeket' samengesteld. Maximaal leven is gemakkelijker als u zich elke dag laat begeleiden door de gedachten van alle beroemde en soms minder bekende persoonlijkheden die in *Wijs* vertegenwoordigd zijn. Bladert u in deze bundel, het is naar wij hopen elke keer weer een genoegen.

De aanleiding voor het verschijnen van *Wijs* is het 80-jarig bestaan van Uitgeverij Servire. Achterin hebben wij een op onderwerp gerangschikte lijst opgenomen van leverbare Servire-uitgaven. Dit voor wie verder op zoek wil naar wijsheid, inspiratie en spiritualiteit, de kernwoorden van het Servire-uitgeefprogramma. Word wijs met Servire!

*De uitgever*

# Ken uzelve.

Want zo er één land, waard om in te leven,
nog overblijft binnen dit wijd heelal,
is dat dit droomrijk, waarvoor ik zal geven
al mijn geluk, zonodig, al mijn streven
en al de woorden, die ik schrijven zal.

KOOS SCHUUR

Niets verwijdert een mens
**verder van God** dan verlangen
naar **eenwording met Hem**.

IMAM ABUL-HASAN ASH-SHADHILI

Een reis van duizend mijl
begint met **één stap.**

TAOÏSTISCHE WIJSHEID

Je moet naar mijn leven kijken, naar hoe ik
eet, zit, praat, mij in het algemeen gedraag.
De som van al die dingen in mij is
mijn godsdienst.

MAHATMA GANDHI

Niets is, dat niet goddelijk is
Daarom wil ik niets uitzonderen
Ik geef geen namen

J.C. VAN SCHAGEN

Ik ben de Weg,
de Waarheid en
het Leven.

JEZUS CHRISTUS

Al het zijn is brandend leed.

FRANZ MARC

**Er is niets rampzaligers**
dan een maatschappij die
alle geloof heeft verloren.

MARTEN TOONDER

Kraaien van kommer en kwel vliegen om uw hoofd, dat kunt ge niet voorkomen. Maar dat ze zich in uw haar nestelen, **dat kunt ge verhinderen**.

CHINESE ZEGSWIJZE

*Ik ben een atheïst,* **Goddank.**

LUIS BUÑUEL

# Wie goed kan LACHEN is een goed mens.

FODOR DOSTOJEVSKI

Je zou je af kunnen vragen waarom we het hebben over **schoonheid**. Het antwoord luidt dat schoonheid volheid, totaliteit, betekent – totale ervaring. Ons leven is helemaal vol, ook al vervelen we ons volledig. Verveling schept alleenzijn en droefheid, die ook mooi zijn. **Schoonheid** in deze zin is **de totale ervaring** van de dingen zoals ze zijn. Die is heel realistisch.

CHÖGYAM TRUNGPA RINPOCHE

*Alles* wat ons ergert aan anderen, kan ons ertoe brengen onszelf beter te begrijpen.

CARL GUSTAV JUNG

Dwalen is menselijk, vergeven is goddelijk.

ALEXANDER POPE

Ervaring is niet wat je overkomt, het is **wat je doet met wat je overkomt**.

ALDOUS HUXLEY

Je woorden zeggen zelden wat je wilt dat ze zeggen.

MANSUKH PATEL

# Uiteindelijk is niets anders heilig dan de integriteit van je eigen geest.

RALPH WALDO EMERSON

Als kind mag je wenen, huilen, tieren, en daarna mag je dat allemaal niet meer laten zien. Dan ga je met das en wit hemd door de grote wereld. Dan heb je je positiemasker op, zal ik maar zeggen. Dat vind ik ver-schrik-ke-lijk. Alsof een volwassen arrivé thuis geen scheet laat, of zich tot tranen toe laat beroeren door prachtige muziek. Alsof de koningin niet af en toe aan haar jeugd denkt en haar schoonheid ziet voorbijglijden. Maar dat mogen ze niet tonen, hè.

DIRK TANGHE

Nu blijven **geloof, hoop en liefde**,
deze drie; maar de grootste van deze is de
liefde. Jaagt dan de **liefde** na!

BIJBEL, BRIEVEN VAN PAULUS

Een **VRIEND** is iemand die om je geeft.
Het kan een jongen zijn…
het kan een meisje zijn…
of een poes…
of een hond…
of zelfs een witte muis.

JOAN WALSH ANGLUND

De ziel leidt jou naar de goede,
volmaakte opportuniteiten, zodat
je precies dat ervaart wat jij
gepland hebt te ervaren. Wat je
werkelijk ervaart, maak jij uit.

NEALE DONALD WALSCH

Droom is 't leven, anders niet;
't glijdt voorbij gelijk een vliet,
die langs steile boorden schiet,
zonder ooit te keren.
d'Arme mens vergaapt zijn tijd,
aan het schoon der ijdelheid,
maar een schaduw die hem vleit,
droevig! Wie kan 't weren?
d'Oude grijze blijft een kind,
altijd slaap'rig, altijd blind,
dag en ure,
waard, en dure,
wordt verguigeld in de wind;
daarmee glijdt het leven heen,
't huis van vel, en vlees, en been,
slaat aan 't kraken,
d'ogen waken,
met de dood in duisterheên.

JAN LUIKEN

15

Wil jij in je eigen leven en in het leven van anderen **een ware leider** zijn, probeer dan de behoefte te weerstaan om erkenning te krijgen.

WAYNE W. DYER

De mens is wat hij GELOOFT.

ANTON TSJECHOV

Wie **te zeer vasthoudt** aan zijn eigen ideeën, treft **weinigen** om met hem in te stemmen.

LAO-TSE

*Dromen zijn er om te* **leven**, *niet om te* **wensen**.

MANSUKH PATEL

Domme mensen weren zich met **wapens**. Verstandige mensen wapenen zich met **woorden**. Wijze mensen ontwapenen met liefde.

PAUL KLUWER

Ik aanvaard het **Leven** als het **Leven** zelf.

DEEPAK CHOPRA

Pluk de dag, niet alleen als het een roos is of een madeliefje – dan is het immers geen kunst om de dag te plukken – pluk hem ook als het een distel is.

PATRICIA DE MARTELAERE

# Wees zelf de verandering

die je in de wereld wilt zien.

MAHATMA GANDHI

**DE VERLICHTE maakt geen
onderscheid tussen een
brahmaan die zich siert met
kennis, eenvoud en
nederigheid, en een koe,
een olifant, ja zelfs een
hond en een paria.**

KRISHNA

De manier waarop we zowel
met anderen als met onszelf
communiceren bepaalt
uiteindelijk de **kwaliteit
van ons leven.**

ANTHONY ROBBINS

Wat voor de een **geven** is, is voor de ander **ontvangen**. Eigenlijk is ontvangen hetzelfde als geven. Het zijn gewoon verschillende aspecten van **de energiestroom door het universum**.

DEEPAK CHOPRA

Ik weet niet wat uw lot zal zijn, maar één ding weet ik wel: de enigen onder u die echt gelukkig zullen zijn, zullen diegenen zijn die hebben gezocht en geleerd hoe ze moeten **dienen.**

ALBERT SCHWEITZER

# De ergste vorm van onrechtvaardigheid is GEVEINSDE RECHTVAARDIGHEID.

PLATO

In allerlei relaties wordt de foutieve gedachte gehanteerd dat het een plicht is de ander gelukkig te maken. Daarmee zeg ik niet dat er iets mis is aan de intentie om een ander gelukkig te maken. Wat niet klopt is het idee dat u verantwoordelijk bent voor het geluk van de ander. Het geluk van de ander hoort exclusief thuis op diens terrein. Niet op dat van u.

JEFFREY WIJNBERG

Stel jouw eigen welvaart niet uit door
**kwaad of jaloers**
te zijn omdat iemand anders iets meer
heeft dan jij.

LOUISE L. HAY

De gemakkelijkste manier om
te krijgen wat je wilt, is
anderen te helpen krijgen wat
ze willen.

DEEPAK CHOPRA

Er bestaat **geen** samenloop van
omstandigheden en **niets** gebeurt bij
toeval.

NEALE DONALD WALSCH

***Waarom*** *plegen we geen zelfmoord als de wereld zo absurd is?*

ALBERT CAMUS

**Onder elke diepte opent zich een diepere diepte.**

RALPH WALDO EMERSON

Er is een fase waarin het duidelijk is dat je op verkeerd spoor zit, maar je gaat door. Soms is er nog **een luxueuze hoeveelheid tijd** voordat er iets ergs gebeurt.

JENNY HOLZER

Je zoekt kennis in boeken?
Belachelijk!
Je zoekt genot in suikergoed?
Belachelijk!
Je bent een zee van kennis die
schuilgaat in een dauwdrop,
je bent het heelal dat
schuilgaat in een lichaam van
amper drie el.

ROEMI

**Wanneer de goden ons willen straffen, laten ze onze GEBEDEN waarheid worden.**

Oscar Wilde

Zoals bij alles, is succes afhankelijk van een nauwkeurige voorbereiding, en zonder zo'n voorbereiding is falen een feit.

Confucius

*Zoek geen gebrek. Vind een remedie!*

Henry Ford

De scheikundige die aan zijn hart de elementen medeleven, respect, verlangen, geduld, spijt, verrassing en vergevingsgezindheid kan onttrekken en tot een geheel verbinden, kan het atoom maken dat liefde heet.

KAHLIL GIBRAN

Of je het nu leuk vindt of niet, alles wat er op dit ogenblik gebeurt is het resultaat van de keuzes die je in het verleden hebt gemaakt.

DEEPAK CHOPRA

# *Doe wat je wilt,*
# *de mensen kletsen toch.*

NEDERLANDSE ZEGSWIJZE

Veel liefde ging verloren
in de wind,
en wat de wind wil zullen
wij nooit weten;
en daarom – voor we
elkander weer vergeten –
laten wij zacht zijn voor
elkander, kind.

ADRIAAN ROLAND HOLST

Indien de wereld zou inkrimpen tot de grootte van een erwt, zou geen sterveling ter aarde daar enig vermoeden van hebben. Alles om mij heen, en ook ik zelf, zou in diezelfde mate ineenschrompelen, zodat ik geen verandering waarnam. Ja, zelfs **terwijl het gebeurde**, en de dingen dus voor mijn ogen slonken, zou ik daarvan niets bemerken en menen in een vast bestel te leven.

GODFRIED BOMANS

Nochtans zeg Ik je:

**er is geen 'Kwaad'**

waar Ik ben. Of 'verkeerd', of 'slecht'.
Er is alleen het Al van Alles.
De eenheid. En het bewustzijn,
de ervaring daarvan.

NEALE DONALD WALSCH

**Alles lost zich op
in tegenstrijdigheid.**

SÖREN KIERKEGAARD

Veel mensen stellen de deugd
meer in het berouw hebben
over begane fouten, dan in
het **vermijden** ervan.

GEORG CHRISTOPH LICHTENBERG

## Deugd zonder inzicht betekent NIETS.

EURIPIDES

Er zou veel minder kwaad op aarde gedaan worden, indien het kwaad nimmer gedaan kon worden **in naam van het goede.**

MARIE VON EBNER-ESCHENBACH

De geschiedenis van mijn leven is de geschiedenis van mijn hart.

ALFRED DE MUSSET

# De mensen kunnen de goden niet missen.

HOMERUS

Studeren behelst dagelijks iets bijleren.
Tau behelst dagelijks iets afleren.
Steeds minder doen, tot niet-doen is bereikt.
Waar handelend optreden ontbreekt, wordt
niets ongedaan gelaten.
De wereld wordt geregeerd door de
dingen op hun beloop te laten.
Zij kan niet worden geregeerd door
tussenbeide te komen.

LAO-TSE

God geeft ons noten, maar
hij kraakt ze niet
voor ons.

HANS CHRISTIAAN ANDERSEN


Het kwade dat de mens doet overleeft
hem, het goede gaat vaak
met hem mee in 't graf.

WILLIAM SHAKESPEARE


De liefde is een eenoog,
de haat is blind.

DEENS SPREEKWOORD

*Het hart van de mens is op zichzelf*
*maar klein, doch het kan door*
**grote dingen** *gevuld worden.*

THOMAS DEKKER

Er is maar één slagveld waarop God en
Satan elkaar bekampen, één waarop twee
oneindigheden elkaar in evenwicht houden:
**het menselijk hart.**

CYRIEL VERSCHAEVE

Indien de mensen plotseling
**deugdzaam** werden, zouden vele
duizenden **verhongeren.**

GEORG CHRISTOPH LICHTENBERG

# De bleke dood

klopt zonder onderscheid aan de hutten

der armen en de burchten der koningen.

HORATIUS

'Het schip van de wind ligt
gereed voor de reis,
de zon en de maan zijn
sneeuwwitte rozen,
de morgen en nacht twee
blauwe matrozen –
wij gaan terug naar het
Paradijs.'

H. MARSMAN

Wat was je oorspronkelijke
gezicht vóór je geboorte?

ZEN-KOAN

Iemand anders de schuld
geven is altijd een daad
van **machteloosheid.**

LOUISE L. HAY

35

Wie zich voortdurend voorbereidt op de dood, **verstevigt** vreemd genoeg zijn band met het leven.

STEPHEN LEVINE

Er zijn twee manieren om licht te verspreiden. Je kunt een **kaars** zijn, of de **spiegel** die haar licht weerkaatst.

EDITH WHARTON

*Hoe arm is hij die geen geduld bezit.*

WILLIAM SHAKESPEARE

Als je niet zo nu en dan
faalt, dan heb je niet
genoeg geprobeerd.

NOLAN BUSHNELL

Adem goedheid uit en haal
de pijn van anderen naar
binnen. Wees dapper en je
zult ervan genieten.

CHÖGYAM TRUNGPA RINPOCHE

Die ik het meest heb liefgehad, –
't was niet de slanke Bruid, met wie 'k in
't zoeter leven
mocht dwalen op het duin en dromen in
de dreven,
wier hand mij leidde op 't rozenpad;
(...)
Neen! – die ik 't meest heb liefgehad,
Dat was mijn kranke; 't was de moede,
de uitgeteerde,
Van wie ik leven beide en hopend
sterven leerde,
Toen ik wenend aan haar sponde zat.

P.A. de Génestet

*De hoogste openbaring is de* **stilte.**

LAO-TSE

Ons werd een totaal verkeerde
levensbeschouwing aangeleerd, een manier
om naar de wereld te kijken die in tegen-
spraak is met wie we zijn. Ons werd geleerd
om te denken aan
concurrentie, vechten, ziekte, eindige hulp-
bronnen, beperkingen, schuld, slechtheid,
schaarste, verlies en dood.
We gingen deze dingen denken en zo
begonnen we er vertrouwd mee te raken. Ons
werd geleerd dat mooie cijfers, goed genoeg
zijn, geld, alles op de juiste manier doen,
belangrijker zijn dan liefde.

MARIANNE WILLIAMSON

'O, als ik dood zal, dood zal zijn
kom dan en fluister, fluister iets liefs,
mijn bleke ogen zal ik opslaan
en ik zal niet verwonderd zijn.

En ik zal niet verwonderd zijn;
in deze liefde zal de dood
alleen een slapen, slapen gerust
en wachten op u, een wachten zijn.'

J.H. LEOPOLD

Het leven is als een
GELDSTUK. Je kunt ermee
doen wat je wilt, maar je
kunt het maar één keer
besteden.

INTERNATIONALE BIJBELBOND

Ik maak me niet druk over hoe de dingen
zijn, maar over hoe de mensen
denken dat ze zijn.

EPICTETUS

Voor hetgeen zich ergens aan vastklampt, bestaat er achteruitgang, maar waar geen vastklampen is, daar is geen achteruitgang. Waar geen achteruitgang is en waar kalmte heerst, daar bestaat geen geobsedeerde begeerte.Waar geen geobsedeerde begeerte is, daar is komen noch gaan, en waar komen en gaan niet meer bestaan, daar is dood noch geboorte; en waar geen dood en geboorte zijn, daar is dit leven noch een hiernamaals noch iets daar tussenin – het is, leerlingen, het einde van het lijden.

BOEDDHA

**Goed en kwaad** grenzen aan elkaar, daarom krijgt de deugd vaak de schuld van wat de ondeugd misdreven heeft.

OVIDIUS

Het is mijn ervaring dat mensen die geen **ondeugden** hebben, heel weinig **deugden** bezitten.

ABRAHAM LINCOLN

Er zijn mensen die alles kunnen geloven wat ze willen, dat zijn nog eens **gelukkige schepsels!**

GEORG CHRISTOPH LICHTENBERG

*De geest wordt rijk door wat hij* **ontvangt,** *het hart wordt rijk door wat het geeft.*

VICTOR HUGO

In elk menselijk hart
bevinden zich een tijger,
een varken, een ezel en
een nachtegaal.
Het VERSCHIL IN KARAKTER
is het gevolg van hun
ongelijke activiteit.

AMBROSE BIERCE

De ene helft van de wereld kan de genoegens van de andere helft niet begrijpen.

JANE AUSTEN

Vraag jezelf af of je gelukkig bent, en je houdt op het te zijn.

JOHN STUART MILL

**Iedereen is een maan,** en heeft een donkere kant die hij nooit aan wie ook laat zien.

MARK TWAIN

# MENIGEEN DIE GLIMLACHT, voedt, zo vrees ik, miljoenen boze plannen in zijn hart.

WILLIAM SHAKESPEARE

Wie niet in staat is een fout te maken, is tot **niets** in staat.

ABRAHAM LINCOLN

*Slechts hij is gelukkig, die meent het te zijn.*

SENECA

*Het hart* heeft zijn redenen
die het verstand niet kent.

BLAISE PASCAL

Er is geen getuige zo
vreselijk, geen aanklager
zo verschrikkelijk, als
**het geweten** dat in het hart
van ieder mens woont.

POLYBIUS

# HET BETERE is de vijand van het goede.

VOLTAIRE

Het kwaad zegeviert vaak,
**maar overwint nimmer.**

JOSEPH ROUX

Een zuiver hart is een prachtig
iets – evenals een schoon overhemd.

GEORG CHRISTOPH LICHTENBERG

Het is een teken van innige vriendschap
als woorden ongehinderd uit het hart
kunnen stromen,
de stroom blokkeert
als deze innige verbondenheid ontbreekt.
Hoe kan het hart nog langer bitter zijn
wanneer het de zoetelief heeft gezien?
Hoe kan de nachtegaal zich stilhouden
wanneer hij de roos heeft gezien?

ROEMI

**De eerste basisparadox** van ons leven is dat niets vaststaat en dat toch niets willekeurig of toevallig is. (...) we beschikken over vrije wil en hebben toch nergens macht over.

CAROL ADRIENNE

Zoals een dauwdrop aan het uiteinde van een grasspriet snel verdwijnt bij zonsopgang en niet lang aanwezig blijft, zo is het menselijk leven gelijk de dauwdrop. Het is kort en beperkt. Dit moet men wijselijk bedenken.

BOEDDHA

De tijd is te traag voor wie wacht, te snel voor wie bevreesd is, te lang voor wie treurt, te kort voor wie zich verblijdt, maar voor wie liefheeft, duurt de tijd eeuwig.

LADY JANE FELLOWES

Bestijg de trein nooit zonder
uw valies met dromen,
Dan vindt ge in elke stad
behoorlijk onderkomen.
(...)
En arriveert de trein in een
vreemdsoortig oord,
Waarvan ge in uw bestaan de
naam nooit hebt gehoord,
Dan is het doel bereikt, dan
leert gij eerst wat reizen
Betekent voor de dolaards en
de ware wijzen...
Wees vooral niet verbaasd
dat, langs gewone bomen,
Een doodgewone trein u voert
naar 't hart van Rome.

JAN VAN NIJLEN

# HOED U voor hem die bij zijn geweten zweert.

ITALIAANS SPREEKWOORD

## Wie *gelukkig* wil zijn, moet thuisblijven.

GRIEKS SPREEKWOORD

Er zijn beminnelijke gebreken, evenals er onuitstaanbare deugden zijn.

FLIEGENDE BLÄTTER

**De dood** is niets misschien, het
doodgaan alles.

E. DU PERRON

Een eerlijk man te zijn in
deze wereld, betekent één
uit duizenden te zijn.

WILLIAM SHAKESPEARE

Door onze gebreken voor anderen te verbergen, trachten wij ook ze voor onszelf te verbergen, en in dit laatste slagen wij het best.

PIERRE NICOLE

Men moet van de grondstelling uitgaan, dat WETEN EN GELOVEN er niet zijn om elkaar uit te sluiten, maar om elkaar aan te vullen.

GOETHE

De bomen, dat zijn geen bomen
zonder de bladen;
de vromen, dat zijn geen vromen
zonder de daden.

Spaanse copla (vert. H. de Vries)

*Een heleboel mensen danken hun*
## *goede geweten* *aan hun*
*slechte geheugen.*

Fliegende Blätter

Wie het weten, spreken niet.
Wie spreken, weten het niet.
Houd je mond stijf dicht.
Houd je zintuigen in bedwang.
Matig je scherpe tong.
Vereenvoudig je problemen.
Maskeer je helder inzicht.
Wees één met het stof van de aarde.
Dit staat bekend als
de oorspronkelijke eenheid.
Je kunt het benaderen noch
op een afstand houden.
Je kunt het verbeteren noch deren.
Je kunt het eren noch onteren.
Het is het hoogste ter wereld.

LAO-TSE

Het geweten is de stem van de **ziel,** de hartstochten zijn de stem van het **lichaam.**

Jean-Jacques Rousseau

Daar is tussen **verstand en geest** geen zo wijde kloof als beweerd wordt door mensen die gebrek hebben aan beide.

Multatuli

*Slechts weinigen* denken, *maar toch houdt iedereen er meningen op na.*

George Berkeley

# *Puritanisme:*

### *de kwellende vrees dat iemand,*
### *ergens, misschien gelukkig is.*

H.L. MENCKEN

De gelovigen en de ongelovigen spreken
## twee verschillende talen
en kunnen elkander niet verstaan.

HONORÉ DE BALZAC

Zij zijn niet waarlijk dood
die in ons harte leven.

P.A. DE GÉNESTET

Wie **gelukkig** wil zijn, moet het
niet willen worden.

WILLIAM MOORE

Gooi een gelukkig mens de
zee in, en hij komt boven
met een vis in zijn mond.

ARABISCH SPREEKWOORD

Tsjwang-tse zat aan de oevers van de Slavenkreek te vissen toen hij werd benaderd door twee afgevaardigden van de Vorst van Tsj'oe. 'Onze meester wil u belasten met het bestuur van zijn rijk', zeiden ze.

Tsjwang-tse antwoordde met zijn hengel in zijn hand en zonder om te kijken: 'Ik heb vernomen dat Tsj'oe een heilige schildpad heeft die al drieduizend jaar dood is. De vorst heeft hem in een doek gewikkeld, in een doos gestopt en opgeborgen in de hoge zaal van de voorouderlijke tempel.

Wat denkt u, is die
schildpad blij dat zijn
gebeente door zijn dood is
veredeld of had hij liever
geleefd en met zijn staart
door de modder gesleept?'
'Tja, hij was liever in leven
gebleven en had met zijn
staart door de modder
gesleept', moesten de
afgevaardigden toegeven.
'Verdwijn', zei
Tsjwang-tse, 'ik sleep
met mijn staart door
de modder.'

TSJWANG-TSE

## DE ZIEL begrijpt wat het verstand niet kan bevatten.

NEALE DONALD WALSCH

*Genot* is het geluk der dwazen, *geluk* is het genot der wijzen.

BOUILLERS

## Niets is onverstandiger dan een leven van enkel verstand.

JACOB ISRAËL DE HAAN

Ga niet af op de smetteloosheid van iemands tulband, misschien is de zeep waarin hij is gewassen wel niet betaald.

TURKS SPREEKWOORD

**Wie zijn geluk niet kent, leeft ongelukkig in rijk bezit.**

JOOST VAN DEN VONDEL

De **genotzucht** verslindt alles, het liefst echter het geluk.

MARIE VON EBNER-ESCHENBACH

Al spreek ik met de tongen van engelen
en mensen: als ik de liefde niet heb,
ben ik niet meer dan klinkend koper
of een schelle cimbaal. Al heb ik de
gave der profetie, al ken ik alle
geheimen en alle wetenschap, al heb ik
het volmaakte geloof dat bergen verzet:
als ik de liefde niet heb, ben ik niets.
Al deel ik heel mijn bezit uit, al geef ik
mijn lichaam prijs aan de vuurdood: als
ik de liefde niet heb, baat het mij niets.

*De liefde is lankmoedig en goedertieren; de liefde is niet afgunstig, zij praalt niet, zij beeldt zich niets in. Zij geeft niet om de schone schijn, zij zoekt niet wat haar niet aangaat, zij laat zich niet kwaad maken en rekent het kwade niet aan. Zij verheugt zich niet over onrecht, maar vindt haar vreugde in de waarheid. Alles verdraagt zij, alles gelooft zij, alles hoopt zij, alles duldt zij. De liefde vergaat nimmer.*

BIJBEL, BRIEVEN VAN PAULUS

Wat hebben wij eraan naar
de maan te vliegen,
als wij niet in staat zijn DE
AFGROND TE OVERBRUGGEN
die ons van onszelf scheidt?

THOMAS MERTON

De ziel ontwikkelt zich niet, ze groeit niet, ze beweegt zich in cirkels, ze wendt, herhaalt en herneemt zich, ze is de weerklank van oeroude thema's die alle mensen met elkaar gemeen hebben. Ze wentelt altijd naar huis. Gnostische verhalen vertellen over het heimwee van de ziel, haar hunkering naar haar eigen omgeving, die niet deze wereld van feitelijkheden is. Haar odyssee is een ronddobberen op zee, een langzaam naar huis drijven, geen evolutie naar volmaaktheid.

THOMAS MOORE

*Monnik: 'Wat is zen?'*
*Zenmeester Tosu:* **'Zen.'**

D.T. SUZUKI

De Heiland lachte en zei tegen hen:
'Waar zitten jullie aan te denken? Waarom
zijn jullie in de war? Waar zijn jullie naar op
zoek?' Philippus zei: 'Naar de werkelijkheid
die ten grondslag ligt aan het heelal en het
grote plan.'

DE SOPHIA VAN JEZUS CHRISTUS

De bomen dorren in het
laat seizoen,
en wachten roerloos de
nabije winter...
Wat is dat alles stil,
doodstil... ik vind er
mijn eigen leven in, dat
heen gaat spoên.

WILLEM KLOOS

Wie iets goeds over de andere weet en dit
met vreugde doorvertelt, is iemand die
**wonderen** doet.

PHIL BOSMANS

***Ouderdom*** *is niet het avondrood van het bestaan, maar de dageraad der wijsheid.*

JOSEPH MURPHY

**De liefde** is een stroom waarin twee rivieren zich mengen zonder hun eigenheid te verliezen.

JACQUES DE BOURBON-BUSSET

# REGELS zijn er om gekken te laten gehoorzamen en om wijzen te leiden.

DAVID OGILVY

Het is onze gezamenlijke en individuele ver-antwoordelijkheid de mondiale familie te beschermen en te koesteren, haar zwakkere leden te ondersteunen, en zorg te dragen voor het milieu waarin wij allen leven.

DALAI LAMA

Het is niet goed voor de mens, **alles** te bereiken wat hij wenst.

HERAKLEITOS

**HET IS NOOIT TE LAAT om te worden wat je had kunnen worden.**

GEORGE ELIOT

*Ik ben Niemand. Wie ben jij?*

EMILY DICKINSON

# Het aardige tussen man
en vrouw is, dat zij niets van elkaar
begrijpen.

GODFRIED BOMANS

Roept binnen, die smachten
naar licht,
in heimwee naar liefde en
naar warmte,
steekt uwe lampen aan!
Laat niemand staan!

ANNIE VAN VEEN

75

De **volle** halm buigt nederig het hoofd, de **lege** steekt het trots naar boven.

NEDERLANDSE ZEGSWIJZE

Ziet gij **een edel mens**, tracht hem dan te evenaren. Ziet gij een slecht mens, onderzoek dan grondig uzelve.

CONFUCIUS

Wat er ook gebeurt,
sta op je eigen benen
en leer deze toverspreuk uit je hoofd:
vertrouw niet!

CHÖGYAM TRUNGPA RINPOCHE

De moed om zelf
mijn lot te lezen,
Tot het mij dood van
't vechten vindt –
O zon! Ik wil
gelukkig wezen –
Een diep-gelukkig
mensenkind!

C.S. ADAMA VAN SCHELTEMA

*Alles is veel voor*
*wie niet veel verwacht.*

J.C. BLOEM

Hoe vreemd het ook moge lijken: het leven wordt juist **sereen en plezierig** zodra zelfzuchtig genot en persoonlijk succes niet meer het hoofddoel zijn.

MIHALY CSIKSZENTMIHALYI

**WIE DE WAARHEID ZOEKT, zoekt God, of hem dat duidelijk is of niet.**

EDITH STEIN

Wie een **vuist** maakt kan **geen hand** geven.

BOND ZONDER NAAM

Noch in de lucht, noch in
de zee, noch in het
bergravijn, nergens ter
wereld kan men ontsnappen
aan de gevolgen van kwade
daden.

BOEDDHA

Gedenk mij in uw gebeden!
Gebeden hebben kracht:
zij komen als stralen gegleden
door onze nacht.

HENRIËTTE ROLAND HOLST-VAN DER SCHALK

79

Zo jongen, ben je daar? 'k
Heb lang gewacht.
Neen, excuzeer je niet: ik
had de tijd;
als achter me, ligt vóór me
de eeuwigheid,
en 'k wist, je kwam. 'k Had
't zo uitgedacht.

Neen, mij is niets te klein:
ik houd de wacht,
als 't wazig glansje langs
een herfstdraad glijdt,
en als de duiz'ling op
kometen rijdt
door 't steilhellende stadion
van de nacht.

Van Brahman's wereld-
rijkdom houd ik boek:
geen Algol, geen elektron
is ooit zoek;
'k zie steeds – Laplace –
ze elk
cirk'len langs hun baan,

en als 'k een
Brahmanperiode sluit,
en Zijn nieuwjaar begin,
komt alles uit
tot op een Melkweg en
een kindertraan.

J. A. DÈR MOUW

Je intellect spreidt zich uit
over honderd 'belangrijke' zaken,
over duizenden verlangens,
over zorgen groot en klein.
Verenig die verstrooide stukjes
door middel van je liefde
opdat je zo zoet mag worden als Damascus
en Samarkand.
Ben je stukje bij beetje heel geworden,
de verwarring voorbij,
Dan kan de Vorst zijn zegel op je drukken.

Roemi

Alles spreekt er van liefde, en het water,
en het briesje, en de takjes, en de vogels,
en de vissen, en het gras, en alle spreken
de wens uit dat ik niet ophoud met
lief te hebben.

PETRARCA

Dit is het waarop het uiteindelijk aankomt:
God toelaten. Men kan hem echter slechts
daar toelaten waar men staat, waar men
werkelijk staat, daar waar men leeft, waar
men zijn ware leven heeft. Onderhouden wij
een heilige omgang met de ons
toevertrouwde kleine wereld, helpen wij
in dit deel van de schepping waarin wij
leven de heilige zielesubstantie tot
voleinding te komen, dan vestigen wij op
onze plaats een vaste woonstede Gods,
dan laten wij God toe.

MARTIN BUBER

Het vinden van **de ware vreugde** is de moeilijkste van alle spirituele opdrachten. Als de enige weg om jezelf vreugde te schenken het doen van dwaze dingen is, doe dat dan.

RABBI NACHMAN VAN BRATSLAV

Erken altijd de droomachtige kwaliteit van het leven, en verminder gehechtheid en afkeer. Beoefen het goede hart ten opzichte van alle wezens. Wees liefdevol en mededogend, ongeacht wat anderen je aandoen. Het doet er niet zoveel toe wat ze doen, als je het als een droom ziet. De truc is om gedurende de droom een positieve instelling te hebben.

Dit is het punt waar het om gaat.

Dit is ware spiritualiteit.

CHAKDUD TULKU RINPOCHE

*Je lijdt als je je afsluit van de levensstroom. Eigen aan dit lijden is dat je bezig bent met consolideren vanuit het verleden om de toekomst veilig te stellen. Het is het gebruiken van je levenskracht om het scheppende in jezelf in te dammen. Kiezen voor wat jij vindt dat zou moeten zijn, ten koste van dat wat is.*

**Volledig, kalm, toegankelijk, stil** – dat is het wezen van de weg. Zich uitbreidend, samentrekkend, dodend, leven gevend – dat is de subtiele functie ervan.

ZENMEESTER YUANWU

*Het werkwoord* **liefhebben**
*weegt een ton. Niet liefhebben weegt*
*zelfs nog zwaarder.*

FELIX LECLERC


**Geld** komt en gaat, net als alle
energieën. Er is zo ongelooflijk veel van
dit symbool op de wereld dat er
werkelijk geen reden bestaat waarom het
niet tijdelijk bij jou zou kunnen
verblijven. Zolang je in staat bent je ego
ervan te scheiden zal het stromen,
mocht je dat willen.

PATTY HARPENAU

Een roos is altijd mooi,
altijd volmaakt en altijd
in verandering. **Zo zijn wij
ook.** We zijn altijd volmaakt waar we ook zijn in
het leven.

LOUISE L. HAY

**Wanhoop nooit! NOOIT! Het
is verboden de hoop op te
geven.**

RABBI NACHMAN VAN BRATSLAV

Sinds ik het weet – ik weet het wel, ofschoon
Nog onder ons angstvallig wordt ontweken,
Het boze woord te noemen, dat bij 't spreken
Licht ruw of wat onzuiver klinkt van toon, –
(…)
sinds ik het weet, is God mij meer nabij
en vaak, in d'ernst van 't aardse spel verloren,
zo ernstig en zo diep als nooit tevoren,
gevoel ik plots Gods glimlach over mij.

JACQUELINE E. VAN DER WAALS


*Dat zijn mijn principes. Als ze je niet aanstaan, heb ik wel andere.*

GROUCHO MARX

Ken je de vijand en jezelf, dan loop je in honderd gevechten geen gevaar.
Ken je de vijand niet, maar jezelf wel, dan
staat de kans op winst of verlies gelijk.
Ken je de vijand noch jezelf, dan loop je in
elk gevecht gevaar.

SUN-TZU

**Elke dag bestuderen priesters**
**de dharma**
**en reciteren eindeloos moeilijke**
**soetra's.**
**Alvorens dat te doen zouden ze**
**eigenlijk moeten leren**
**hoe je de liefdesbrieven leest,**
**gezonden door**
**wind en regen, sneeuw en maan.**

IKKYU

JEZUS ZEI: Laat hij die zoekt niet ophouden te zoeken totdat hij vindt. En als hij vindt, zal hij verward zijn en als hij verward is, zal hij zich verwonderen. En als hij zich verwonderd heeft, zal hij overal boven staan en tot rust komen.

HET EVANGELIE VAN THOMAS
(VERT. JOS STOLLMAN)

**Problemen** worden niet opgelost door nieuwe informatie te verstrekken, maar door schikking van hetgeen we altijd hebben geweten. Filosofie is een strijd tegen de betovering van onze intelligentie door middel van taal.

LUDWIG WITTGENSTEIN

'Niets voornemen. Niets vasthouden. Dit moment, dit moment. Geen vaste ideeën. Geen beelden. Jij toch geen zorgen maken, Larry-san. Wees geduldig. Geboren worden is lijden. Weet je nog? Nu jij lijden aan vriendin. Volgende week jij lijden aan iets anders.'

'Ja, maar waarom al dat lijden? Boeddhisme zou toch moeten helpen? Ik heb het gevoel dat ik niets heb geleerd door het beoefenen.'

'Natuurlijk boeddhisme helpen! Zenman altijd uitstijgen boven lijden!'

'Erboven uitstijgen? Hoe? Hoe stijgt een Zenman uit boven het lijden?'

'Hij accepteren'.

LAWRENCE SHAINBERG IN DIALOOG MET
ZENMEESTER KYUDO NAKAGAWA ROSHI

Wie heeft er meer dan genoeg en laat het ten goede komen aan de wereld? Alleen de mens die leeft vanuit Tau. Daarom werkt de wijze zonder er erkenning voor te vragen. Hij bereikt wat gedaan moet worden, haast zonder erbij stil te staan. Hij zet zijn licht onder de korenmaat.

LAO-TSE

*Alleen wie* **oppervlakkig** *is*
*kent zichzelf.*

Oscar Wilde

De essentie van religie is dat
je het verhevene en ontzagwekkende ziet
in het meest onbeduidende.

Thomas Moore

De moedervogel weet dat zij het risico moet nemen dat haar bevrijde jongen het niet overleven. En de jonge vogel, als hij klaar is om het nest te verlaten, **is niet bang.**

GERRY SPENCE

Noodzaak is de moeder van de vindingrijkheid.

NEDERLANDSE ZEGSWIJZE

**Geen mens** kan duizend dagen
achtereen ongestoord gelukkig zijn.
**Geen bloem** kan honderd dagen
achtereen blijven bloeien.

CHINEES SPREEKWOORD

Zie je, ik hou van je,
Ik vin je zo lief en zo licht –
Je ogen zijn zo vol licht,
Ik hou van je, ik hou van je.

HERMAN GORTER

Doe wat juist is. U, luister der
rechtvaardigen, u, Ziel, bevrijd van 'ik' en
'wij', subtiele geest in man en vrouw.
Wanneer man en vrouw één worden, bent
U die ene en wanneer die ene wordt
uitgewist, bent U daar. Waar is dit 'wij' en
dit 'ik'? Aan de zij van de Geliefde.
U hebt dit 'wij' en 'ik' gemaakt om dit spel
van dienstbaarheid met Uzelf te spelen
opdat U en ik één ziel worden en
ten slotte verdrinken in de Geliefde.

ROEMI

Iemand vroeg aan Xuedou:
'Wat is de levende beteke-
nis van **zen**?' Xuedou zei:
'De bergen zijn hoog, de
zeeën zijn uitgestrekt.'

JEAN SMITH

*De man van Kobrin leerde: Als de mens lijdt, moet hij niet zeggen: 'Wat erg, wat erg!' Niets is erg wat God de mens aandoet. Maar wat je wel mag zeggen is:* **'Het is bitter'**, *want er zijn bittere vergiften onder de geneesmiddelen.*

MARTIN BUBER

**Het leven is een eiland** in een oceaan van verlatenheid, een eiland waarvan de rotsen verwachtingen, de bomen dromen, de bloemen eenzaamheid en de beken dorst zijn.

Kahlil Gibran

Een verlicht mens is iemand die ongevoelig is voor kritiek, zowel positieve als negatieve. **Kritiek** zegt niets over de aard van ons bestaan. De verlichte mens weet dat de essentie van zijn bestaan een onsterfelijke ziel is met een fysieke ervaring.

Patty Harpenau

**Neem niet je toevlucht tot een onjuist standpunt en maak de wereld niet belangrijker dan ze is.**

DE DHAMMAPADA

**Jezus zei:** Ik ben het licht dat op alles schijnt. Ik ben het al, het al is uit mij voortgekomen en het al heeft mij voortgebracht. Splijt een stuk hout, ik ben daar. Til de steen op en jullie zullen mij vinden.

HET EVANGELIE VAN THOMAS
(VERT. JOS STOLLMAN)

'Het doet me genoegen te zien dat er
een klooster wordt gebouwd',
zei de pelgrim.
'Ze zijn het aan het afbreken',
zei de abt.
'Waarom in 's hemelsnaam?'
vroeg de pelgrim.
'Zodat we 's ochtends de zonsopgang
kunnen zien', zei de abt.

Thomas Moore

Ik zocht, maar vond U niet.

Met luide stem riep ik vanaf de minaret.

Ik luidde de tempelbel bij het krieken

van de dag

en bij zonsondergang.

Ik baadde vergeefs in de Ganges.

Ik kwam teleurgesteld terug

van de Kaäba.

Op aarde keek ik naar U uit

en zocht U ook in de hemel.

Uiteindelijk heb ik U gevonden

als een parel verborgen

in de schelp van mijn hart.

GAYAN

O LEVEN VAN DE WERELD,
schenk mij een leven in
volheid – een leven dat je
lang kunt noemen omdat het
gevuld is met leven op de
juiste wijze, en rijk omdat
het gevuld is met daden die
heilig zijn.

RABBI NACHMAN VAN BRATSLAV

*Wij moeten onze* **tuin** *onderhouden.*

VOLTAIRE

**Elke seconde** is een deur naar
onbegrensde mogelijkheden.

DEEPAK CHOPRA

De wereld zal **beter** worden als de
macht van de liefde de liefde voor de
macht vervangt.

GERRY SPENCE

Vele mensen menen dat het iets verdienstelijks is, een geringe dunk te hebben van zichzelf. Het is de armzaligste vorm van hoogmoed.

GODFRIED BOMANS

De meeste van onze rampspoeden zijn **gemakkelijker** te dragen dan de commentaren van onze vrienden daarop.

CHARLES CALEB COLTON

Gij wordt geboren: het bekommert geen.
Gij sterft verloren; het bekommert geen.
Het golven van de grote Oceaan
breekt niet door 't zinken van een
kiezelsteen.

OMAR KHAYYAM (VERT. W. DE MÉRODE)

*Men verschilt soms evenveel van*
**zichzelf** *als van anderen.*

LA ROCHEFOUCAULD

*De mens* is de maat
van alle dingen.

PROTAGORAS

DOODGAAN, mijn beste
dokter, dat is het laatste
wat ik zal doen !

LORD PALMERSTON

Misschien is **niets** geheel waar, en zelfs dit niet.

MULTATULI

**Een mooi citaat** is een diamant aan de vinger van iemand van geest en een kei in de hand van een dwaas.

JOSEPH ROUX

# WIJS MET SERVIRE

Op de volgende bladzijden vindt u een op onderwerp

gerangschikte lijst van leverbare Servire-uitgaven,

alle verkrijgbaar in de boekhandel. Het eerstgenoemde

nummer kunt u gebruiken als bestelnummer.

Alle prijzen worden gegeven onder voorbehoud.

| | | **BASISREEKS** |
|---|---|---|
| 90 6325 544 6 | Cooper | **Licht op Taoïsme, gb**<br>ƒ 34,90/640 BEF/€ 15,84 |
| 90 215 9548 6 | Ford | **Licht op Schaduw, gb**<br>ƒ 34,90/640 BEF/€ 15,84 |
| 90 6325 564 0 | Greiner | **Licht op Alchemie, gb**<br>ƒ 34,90/640 BEF/€ 15,84 |
| 90 6325 552 7 | Keown | **Licht op Boeddhisme, gb**<br>ƒ 34,90/640 BEF/€ 15,84 |
| 90 215 9667 9 | O'Connor | **Licht op NLP, gb**<br>ƒ 34,90/640 BEF/€ 15,84 |
| 90 6325 566 7 | Parfitt | **Licht op Psychosynthese, gb**<br>ƒ 34,90/640 BEF/€ 15,84 |
| 90 6325 569 1 | Scott | **Licht op Zen, gb**<br>ƒ 34,90/640 BEF/€ 15,84 |
| 90 215 9959 7 | Swami Persaud | **Licht op Hindoeïsme, gb**<br>ƒ 35,24/645 BEF/€ 15,99 |
| 90 6325 571 3 | Solomon | **Licht op Jodendom, gb**<br>ƒ 34,90/640 BEF/€ 15,84 |
| 90 215 9607 5 | Webb | **Licht op het Enneagram, gb**<br>ƒ 34,90/640 BEF/€ 15,84 |

| | | **HANDBOEKEN** |
|---|---|---|
| 90 215 8590 1 | Banzhaf | **Handboek Tarot, gb**<br>ƒ 45,00/825 BEF/€ 20,42 |
| 90 215 9568 0 | Bode | **Handboek Astrologie, gb**<br>ƒ 50,50/925 BEF/€ 22,92 |
| 90 6325 449 0 | Boering | **Handboek I Tjing, gb**<br>ƒ 40,90/750 BEF/€ 18,56 |
| 90 215 9704 7 | Cohen | **Handboek Qigong, gb**<br>ƒ 60,90/1115 BEF/€ 27,64 |

| 90 215 9926 0 | Hewitt | **Handboek Yoga, gb** |
| | | ƒ 60,90/1115 BEF/€ 27,64 |
| 90 215 8944 3 | Kaptchuk | **Handboek Chinese geneeswijzen gb** |
| | | ƒ 50,50/925 BEF/€ 22,92 |
| 90 215 9936 8 | Wong kiew kit | **Handboek Tai-chi Chuan, gb** |
| | | ƒ 50,50/925 BEF/€ 22,92 |
| 90 6325 432 6 | Lowen | **Handboek Bio-energetica, gb** |
| | | ƒ 60,90/1115 BEF/€ 27,64 |
| 90 215 8697 5 | Palmer | **Handboek Enneagram, gb** |
| | | ƒ 60,90/1115 BEF/€ 27,64 |
| 90 215 9793 4 | Swami Persaud | **Handboek Ayurveda, gb** |
| | | ƒ 50,50/925 BEF/€ 22,92 |
| 90 215 9969 4 | Uijtenbogaardt | **Handboek moderne hypnotherapie, gb** |
| | | ƒ 70,50/1290 BEF/€ 31,99 |

## FOTOBOEKEN

| 90 6325 534 9 | Smeele/de Vos | **Een andere werkelijkheid, gb** |
| | | ƒ 50,50/925 BEF/€ 22,92 |

## ASTROLOGIE

| 90 215 9568 0 | Bode | **Handboek astrologie, gb** |
| | | ƒ 50,50/925 BEF/€ 22,92 |

## BIO-ENERGETICA

| 90 6325 274 9 | Lowen | **Bio-energetica** |
| | | ƒ 40,90/750 BEF/€ 18,56 |
| 90 215 856 0 | Lowen | **Bio-energetische oefeningen** |
| | | ƒ 33,90/620 BEF/€ 15,38 |
| 90 6325 432 6 | Lowen | **Handboek bio-energetica, gb** |
| | | ƒ 60,90/1115 BEF/€ 27,64 |

| 90 6325 416 4 | Lowen | **De spiritualiteit van het lichaam**<br>ƒ 40,90/750 BEF/€ 18,56 |
|---|---|---|

## BOEDDHISME

| 90 215 8707 6 | Chödrön | **Als je wereld instort, gb**<br>ƒ 40,90/750 BEF/€ 18,56 |
|---|---|---|
| 90 215 9709 8 | Chödrön | **Waar je bang voor bent, gb**<br>ƒ 40,77/746 BEF/€ 18,50 |
| 90 215 9887 6 | De Dalai Lama | **over de zin van het leven**<br>ƒ 30,90/565 BEF/€ 14,02 |
| 90 215 9924 4 | Dhonden | **Tibetaanse geneeskunst**<br>ƒ 40,90/750 BEF/€ 18,56 |
| 90 6325 552 7 | Keown | **Licht op boeddhisme, gb**<br>ƒ 34,90/640 BEF/€ 15,84 |
| 90 6325 531 4 | Kornfield | **Een licht voor jezelf**<br>ƒ 49,90/915 BEF/€ 22,64 |
| 90 215 9585 0 | Kornfield | **Na het feest komt de afwas**<br>ƒ 50,50/925 BEF/€ 22,92 |
| 90 215 9672 5 | Sogyal Rinpoche | **Meditatie**<br>ƒ 15,50/285 BEF/€ 7,03 |
| 90 215 8508 1 | Sogyal Rinpoche | **Het Tibetaanse boek van<br>leven en sterven, gb**<br>ƒ 60,90/1115 BEF/€ 27,64 |
| 90 215 9842 6 | Sogyal Rinpoche | **Dagend inzicht, gb**<br>ƒ 50,50/925 BEF/€ 22,92 |
| 90 215 9526 5 | Trungpa | **De mythe van vrijheid**<br>ƒ 37,90/695 BEF/€ 17,20 |
| 90 6325 237 4 | Trungpa | **Shambhala**<br>ƒ 34,90/640 BEF/€ 15,84 |

| 90 6325 393 1 | Trungpa | **Spiritueel materialisme doorsnijden** ƒ 40,90/750 BEF/€ 18,56 |
|---|---|---|
| 90 6325 404 0 | Trungpa | **Het Tibetaans dodenboek** ƒ 35,90/660 BEF/€ 16,29 |
| 90 215 9813 2 | Trungpa | **De grote oostelijke zon** ƒ 50,50/925 BEF/€ 22,92 |
| 90 215 9867 1 | Trungpa | **De essentie** ƒ 65,90/1210 BEF/€ 29,90 |

### CASTANEDA

| 90 215 8706 8 | Castaneda | **De actieve kant van de oneindigheid** ƒ 50,50/925 BEF/€ 22,92 |
|---|---|---|
| 90 6325 452 4 | Castaneda | **Kennis en macht** ƒ 40,90/750 BEF/€ 18,56 |
| 90 6325 328 1 | Castaneda | **De macht van de stilte** ƒ 40,90/750 BEF/€ 18,56 |
| 90 215 8866 8 | Castaneda | **De kunst van het dromen** ƒ 40,90/750 BEF/€ 18,56 |
| 90 215 8694 0 | Castaneda | **Het wiel van de tijd** ƒ 40,90/750 BEF/€ 18,56 |
| 90 215 9941 4 | Castaneda | **De tweede machtsring** ƒ 40,90/750 BEF/€ 18,56 |

### CHOPRA

| 90 215 8707 6 | Chopra | **Alledaagse onsterfelijkheid, gb** ƒ 34,90/640 BEF/€ 15,84 |
|---|---|---|

| 90 215 8696 7 | Chopra | **Deepak Chopra: een wereld van oneindige mogelijkheden (samenst. Leon Nacson)** ƒ 30,90/570 BEF/€ 14,02 |
|---|---|---|
| 90 215 8729 7 | Chopra | **Gezond leven** ƒ 34,90/640 BEF/€ 15,84 |
| 90 215 8510 3 | Chopra | **Hoe wij God kunnen ervaren** ƒ 45,00/825 BEF/€ 20,42 |
| 90 215 8884 6 | Chopra | **Leef-tijd** ƒ 45,00/825 BEF/€ 20,42 |
| 90 215 8854 4 | Chopra | **Leven in liefde** ƒ 45,00/825 BEF/€ 20,42 |
| 90 215 8810 2 | Chopra | **Leven zonder grenzen** ƒ 45,00/825 BEF/€ 20,42 |
| 90 215 9767 5 | Chopra | **Oud worden, jong blijven** ƒ 46,26/847 BEF/€ 20,99 |
| 90 215 8874 9 | Chopra | **Quantumgenezing** ƒ 45,00/825 BEF/€ 20,42 |
| 90 215 8864 1 | Chopra | **Vrij van verslaving** ƒ 30,90/570 BEF/€ 14,02 |

|  |  | **DOOD** |
|---|---|---|
| 90 215 8926 5 | Hummelen | **Bewust sterven** ƒ 40,90/750 BEF/€ 18,56 |
| 90 6325 247 1 | O'Connor | **Loslaten met liefde** ƒ 34,90/640 BEF/€ 15,84 |
| 90 215 8508 1 | Sogyal Rinpoche | **Het Tibetaanse boek van leven en sterven, gb** ƒ 60,90/1115 BEF/€ 27,64 |
| 90 215 9911 2 | Smith | **Lessen voor de levenden** ƒ 40,90/750 BEF/€ 18,56 |

| 90 215 9697 0 | Solomon | **Het joodse boek van leven en sterven, gb** <br> f 50,50/925 BEF/€ 22,92 |
| 90 6325 404 0 | Trungpa | **Het Tibetaans dodenboek** <br> f 35,90/660 BEF/€ 16,29 |

## ENNEAGRAM

| 90 215 9707 1 | Daniels/Price | **Het ware enneagram** <br> f 26,42/484 BEF/€ 11,99 |
| 90 215 8697 5 | Palmer | **Handboek Enneagram, gb** <br> f 60,90/1115 BEF/€ 27,64 |
| 90 215 9671 7 | Palmer | **Het enneagram voor beginners** <br> f 15,50/285 BEF/€ 7,03 |
| 90 215 8774 2 | Palmer | **Het enneagram in bedrijf en organisatie** <br> f 50,50/925 BEF/€ 22,92 |
| 90 6325 568 3 | Salmon | **ABC van het enneagram** <br> f 34,90/640 BEF/€ 15,84 |
| 90 215 9607 5 | Webb | **Licht op het Enneagram, gb** <br> f 34,90/640 BEF/€ 15,84 |

## FILOSOFIE

| 90 215 8744 0 | Renard | **Ramana Upanishad** <br> f 40,90/750 BEF/€ 18,56 |
| 90 215 8996 6 | Russell | **Geschiedenis van de westerse filosofie, gb** <br> f 99,90/1830 BEF/€ 45,33 |

| | | |
|---|---|---|
| **GEZONDHEID** | | |
| 90 215 8729 7 | Chopra | **Gezond leven**<br>ƒ 34,90/640 BEF/€ 15,84 |
| 90 215 8874 9 | Chopra | **Quantumgenezing**<br>ƒ 45,00/825 BEF/€ 20,42 |
| 90 215 8864 1 | Chopra | **Vrij van verslaving**<br>ƒ 30,90/570 BEF/€ 14,02 |
| 90 215 9704 7 | Cohen | **Handboek Qigong, gb**<br>ƒ 60,90/1115 BEF/€ 27,64 |
| 90 215 9924 4 | Dhonden | **Tibetaanse geneeskunst**<br>ƒ 40,90/750 BEF/€ 18,56 |
| 90 215 9926 0 | Hewitt | **Handboek Yoga, gb**<br>ƒ 60,90/1115 BEF/€ 27,64 |
| 90 215 8944 3 | Kaptchuk | **Handboek Chinese<br>geneeswijzen gb**<br>ƒ 50,50/925 BEF/€ 22,92 |
| 90 215 9936 8 | Wong kiew kit | **Handboek Tai-Chi Chuan, gb**<br>ƒ 50,50/925 BEF/€ 22,92 |
| 90 2159682 2 | Santorelli | **Het wonder van genezing**<br>ƒ 40,90/750 BEF/€ 18,56 |
| 90 215 9793 4 | Swami Persaud | **Handboek Ayurveda, gb**<br>ƒ 50,50/925 BEF/€ 22,92 |
| 90215 9757 8 | Villoldo | **Healing volgens de sjamanen**<br>ƒ 40,90/750 BEF/€ 18,56 |
| 90 215 8906 0 | Weller | **Licht op adem, gb**<br>ƒ 34,90/640 BEF/€ 15,84 |
| | | |
| **GIBRAN** | | |
| 90 6325 461 X | Gibran | **Spiegels van de ziel, gb**<br>ƒ 50,50/925 BEF/€ 22,92 |

| | | I TJING |
|---|---|---|
| 90 6325 449 0 | Boering | **Handboek I Tjing, gb**<br>ƒ 40,90/750 BEF/€ 18,56 |
| 90 215 9847 7 | Boering | **I Tjing van de 21e eeuw**<br>ƒ 109,90/2010 BEF/€ 49,87 |
| 90 6325 510 1 | Boering | **Het spel der veranderingen**<br>ƒ 60,90/1115 BEF/€ 27,64 |

| | | JODENDOM |
|---|---|---|
| 90 215 8724 6 | Boteach | **Kosjer seks**<br>ƒ 40,90/750 BEF/€ 18,56 |
| 90 6325 365 6 | Buber | **Chassidische vertellingen, gb**<br>ƒ 60,90/1115 BEF/€ 27,64 |
| 90 215 9639 3 | Buber | **De weg van de mens, gb**<br>ƒ 20,90/385 BEF/€ 9,48 |
| 90 6325 573 X | Van Eck | **Bidden met de benen, gb**<br>ƒ 34,90/640 BEF/€ 15,84 |
| 90 15 8986 9 | Van Eck | **Tot de deur zich opent, gb**<br>ƒ 40,90/750 BEF/€ 18,56 |
| 90 215 9642 3 | Korteweg | **Zonder Einde, gb**<br>ƒ 40,90/750 BEF/€ 18,56 |
| 90 215 8687 8 | Rabbi Nachman | **Grenzeloos vertrouwen, gb**<br>ƒ 34,90/640 BEF/€ 15,84 |
| 90 215 9504 4 | Rabbi Nachman | **Geef mij uw hart, gb**<br>ƒ 34,90/640 BEF/€ 15,84 |
| 90 6325 571 3 | Solomon | **Licht op Jodendom, gb**<br>ƒ 34,90/640 BEF/€ 15,84 |
| 90 215 9697 0 | Solomon | **Het joodse boek van**<br>**leven en sterven, gb**<br>ƒ 50,50/925 BEF/€ 22,92 |

| 90 6325 433 4 | Weinreb | **Het mensbeeld in de kabbala, gb**<br>ƒ 50,50/925 BEF/€ 22,92 |
|---|---|---|

## KORTEWEG

| 90 215 9571 0 | Korteweg | **Nog vele jaren, gb**<br>ƒ 34,90/640 BEF/€ 15,84 |
|---|---|---|
| 90 215 9642 3 | Korteweg | **Zonder Einde, gb**<br>ƒ 40,90/750 BEF/€ 18,56 |
| 90 6325 386 9 | Korteweg e.a. | **De grote sprong, gb**<br>ƒ 40,90/750 BEF/€ 18,56 |
| 90 215 9931 7 | Korteweg e.a. | **Innerlijke leiding**<br>ƒ 36,90/680 BEF/€ 16,74 |
| 90 6325 436 9 | Korteweg-Frankhuisen | **Geest & drift**<br>ƒ 34,90/640 BEF/€ 15,84 |
| 90 7668 102 3 | Korteweg | **Tot zover, gb**<br>ƒ 36,95/680 BEF/€ 16,76 |

## MANAGEMENT

| 90 215 8876 5 | Ofman | **Bezieling en kwaliteit<br>in organisaties, gb**<br>ƒ 60,90/1115 BEF/€ 27,64 |
|---|---|---|
| 90 215 8518 9 | Ofman | **Bezieling en kwaliteit<br>in organisaties**<br>ƒ 45,00/825 BEF/€ 20,42 |
| 90 9005 456 1 | Ofman | **Kernkwadrantenspel**<br>ƒ 40,90/750 BEF/€ 18,56 |
| 90 215 8955 9 | Witten/Rinpoche | **Verlicht management**<br>ƒ 45,00/825 BEF/€ 20,42 |

## MEDITATIE

| | | |
|---|---|---|
| 90 215 8600 2 | Kabat-Zinn | **Waar je ook gaat, daar ben je, gb**<br>f 40,90/750 BEF/€ 18,56 |
| 90 6325 5314 | Kornfield | **Een licht voor jezelf**<br>f 49,90/915 BEF/€ 22,64 |
| 90 215 9672 5 | Sogyal Rinpoche | **Meditatie**<br>f 15,50/285 BEF/€ 7,03 |

## MOORE

| | | |
|---|---|---|
| 90 6325 513 6 | Moore | **De magie van**<br>**het dagelijks leven, gb**<br>f 45,00/825 BEF/€ 20,42 |
| 90 215 9596 6 | Moore | **De ziel van seks, gb**<br>f 45,00/825 BEF/€ 20,42 |
| 90 215 9595 8 | Moore | **Ons diepste zelf, gb**<br>f 40,90/750 BEF/€ 18,56 |
| 90 6325 462 8 | Moore | **Zielsverwanten, gb**<br>f 40,90/750 BEF/€ 18,56 |
| 90 215 9586 9 | Moore | **Zorg voor de ziel, gb**<br>f 40,90/750 BEF/€ 18,56 |

## MYSTIEK

| | | |
|---|---|---|
| 90 215 9677 6 | Helminski | **Het wetende hart** (begin 2002)<br>f 40,77/746 BEF/€ 18,50 |
| 90 215 9651 2 | Parsons | **Het open geheim, gb**<br>f 30,90/570 BEF/€ 14,02 |
| 90 215 8710 6 | Roemi | **Daglicht, gb**<br>f 34,90/640 BEF/€ 15,84 |
| 90 215 9687 3 | Roemi | **Juwelen, gb**<br>f 34,90/640 BEF/€ 15,84 |

## NLP

| | | |
|---|---|---|
| 90 215 9629 6 | Bandler | **Hoe haal je wat in je hoofd**<br>ƒ 40,90/750 BEF/€ 18,56 |
| 90 215 9821 3 | Derks/Hollander | **Essenties van NLP, gb**<br>ƒ 80,50/1500 BEF/€ 36,53 |
| 90 6325 349 4 | Hollander e.a. | **NLP in Nederland, gb**<br>ƒ 60,90/1115 BEF/€ 27,64 |
| 90 215 9667 9 | O'Connor | **Licht op NLP, gb**<br>ƒ 34,90/640 BEF/€ 15,84 |
| 90 215 8846 3 | Robbins | **Je ongekende vermogens**<br>ƒ 50,50/925 BEF/€ 22,92 |

## OPVOEDING

| | | |
|---|---|---|
| 90 215 8794 7 | Ferrucci | **Wat kinderen ons leren**<br>ƒ 34,90/640 BEF/€ 15,84 |

## PSYCHOLOGIE

| | | |
|---|---|---|
| 90 215 8506 5 | Corneau | **Afwezige vaders, verloren zonen**<br>ƒ 34,90/640 BEF/€ 15,84 |
| 90 215 9662 8 | Corneau | **Lessen in liefde**<br>ƒ 40,90/750 BEF/€ 18,56 |
| 90 215 9934 1 | Corneau | **Het helend hart**<br>ƒ 40,90/750 BEF/€ 18,56 |
| 90 215 9702 0 | Dass | **Vanaf hier, vanaf nu**<br>ƒ 39,90/730 BEF/€ 18,11 |
| 90 215 8794 7 | Ferrucci | **Wat kinderen ons leren**<br>ƒ 34,90/640 BEF/€ 15,84 |
| 90 215 9548 6 | Ford | **Licht op schaduw**<br>ƒ 34,90/640 BEF/€ 15,84 |
| 90 215 9699 7 | Forward | **Als liefde pijn doet**<br>ƒ 46,26/847 BEF/€ 20,99 |

| 90 215 9679 2 | Forward | **Eindelijk je eigen leven leiden**<br>ƒ 46,26/847 BEF/€ 20,99 |
|---|---|---|
| 90 215 9599 0 | Forward | **Je bent niet met je<br>schoonfamilie getrouwd**<br>ƒ46,26/847 BEF/€ 20,99 |
| 90 215 8700 9 | Goleman-Bennett | |
| | | **Emotionele gezondheid**<br>ƒ 40,77/746 BEF/€ 18,50 |
| 90 215 9530 3 | Johnson | **Zij/Hij, gb**<br>ƒ 20,94/383 BEF/€ 9,50 |
| 90 215 8704 1 | Johnson | **Tevredenheid**<br>ƒ 34,90/640 BEF/€ 15,84 |
| 90 215 9561 3 | Knibbe | **Rusten in Zijn**<br>ƒ 40,90/750 BEF/€ 18,56 |
| 90 215 8734 3 | Knibbe | **De niet-herkende Boeddha**<br>ƒ 45,00/825 BEF/€ 20,42 |
| 90 6325 247 1 | O'Connor | **Loslaten met liefde**<br>ƒ 34,90/640 BEF/€ 15,84 |
| 90 6325 462 8 | Moore | **Zielsverwanten, gb**<br>ƒ 40,90/750 BEF/€ 18,56 |
| 90 215 9586 9 | Moore | **Zorg voor de ziel, gb**     612<br>ƒ 40,90/750 BEF/€ 18,56 |
| 90 215 9727 6 | Riemann | **Het wezen van de angst**<br>ƒ 40,90/750 BEF/€ 18,56 |
| 90 215 9737 3 | Sams | **De droom dansen**<br>ƒ 40,90/750 BEF/€ 18,56 |
| 90 215 9717 9 | Stauffer | **Over liefde en vergeving**<br>ƒ 40,90/750 BEF/€ 18,56 |
| 90 6325 535 7 | Welwood | **De weg van het hart**<br>ƒ 40,90/750 BEF/€ 18,56 |

| 90 215 8965 6 | Welwood | **In liefde ontwaken** |
| | | ƒ 40,90/750 BEF/€ 18,56 |

| 90 215 9896 5 | Welwood | **Psychologie van de ontwaking** |
| | | ƒ 50,50/925 BEF/€ 22,92 |

| 90 6325 536 5 | Young-Eisendrath | **De parel in de pijn** |
| | | ƒ 45,00/825 BEF/€ 20,42 |

| 90 215 8670 3 | Young-Eisendrath | **Wat vrouwen willen** |
| | | ƒ 40,90/750 BEF/€ 18,56 |

| 90 215 8580 4 | Zweig/Wolf | **Omgaan met je schaduw** |
| | | ƒ 50,50/925 BEF/€ 22,92 |

| 90 215 8567 7 | Zweig/Abrams | **Ontmoeting met je schaduw** |
| | | ƒ 60,90/1115 BEF/€ 27,64 |

## PSYCHOSYNTHESE

| 90 6325 186 6 | Assagioli | **Over de wil** |
| | | ƒ 45,00/825 BEF/€ 20,42 |

| 90 6325 194 7 | Assagioli | **Psychosynthese** |
| | | ƒ 45,00/825 BEF/€ 20,42 |

| 90 6325 566 7 | Parfitt | **Licht op Psychosynthese, gb** |
| | | ƒ 34,90/640 BEF/€ 15,84 |

## RELIGIE

| 90 215 8510 3 | Chopra | **Hoe wij God kunnen ervaren** |
| | | ƒ 45,00/825 BEF/€ 20,42 |

| 90 215 9540 0 | Palmer | **De tao van Christus, gb** |
| | | ƒ 40,77/746 BEF/€ 18,50 |

| 90 215 8995 8 | Smith | **De religies van de wereld, gb** |
| | | ƒ 60,90/1115 BEF/€ 27,64 |

| 90 215 9719 5 | Smith | **Niet zonder religie, gb** |
| | | ƒ 50,66/927 BEF/€ 22,99 |

| 90 215 9555 9 | Stollman | **Zenmeester Jezus** |
| | | *f* 40,90/750 BEF/€ 18,56 |

## SEKSUALITEIT/RELATIES

| 90 6325 436 9 | Korteweg-Frankhuisen | |
| | | **Geest & drift** |
| | | *f* 34,90/640 BEF/€ 15,84 |

| 90 215 9596 6 | Moore | **De ziel van seks** |
| | | *f* 40,90/750 BEF/€ 18,56 |

| 90 215 9712 8 | Toshio Sudo | **Zen seks** |
| | | *f* 30,90/570 BEF/€ 14,02 |

| 90 215 8965 6 | Welwood | **In liefde ontwaken** |
| | | *f* 40,90/750 BEF/€ 18,56 |

## SOGYAL RINPOCHE

| 90 215 8508 1 | Sogyal Rinpoche | **Het Tibetaanse boek van leven en sterven, gb** |
| | | *f* 60,90/1115 BEF/€ 36,53 |

| 90 215 9672 5 | Sogyal Rinpoche | **Meditatie** |
| | | *f* 15,50/285 BEF/€ 7,03 |

| 90 215 9842 6 | Sogyal Rinpoche | **Dagend inzicht, gb** |
| | | *f* 50,50/925 BEF/€ 22,92 |

## SPELLEN

| 90 6325 510 1 | Boering | **Het spel der veranderingen** |
| | | *(boek, deck, legkleed, bewaardoos)* |
| | | *f* 60,90/1115 BEF/€ 27,64 |

| 90 215 8577 4 | Docters van Leeuwen, | **De Tarot in de herstelde orde** |
| | | *f* 40,90/750 BEF/€ 18,56 |

| 90 9005 456 1 | Ofman | **Kernkwadrantenspel**<br>ƒ 40,90/750 BEF/€ 18,56 |

## TAOISME

| 90 6325 544 6 | Cooper | **Licht op Taoïsme, gb**<br>ƒ 34,90/640 BEF/€ 15,84 |
| 90 215 9877 9 | Cleary | **Het geheim van de gouden bloem**<br>ƒ 45,00/825 BEF/€ 20,42 |
| 90 215 8556 1 | Tsjwang-tse | **Beginnen met leven, gb**<br>ƒ 60,90/1115 BEF/€ 27,64 |
| 90 215 9936 8 | Wong kiew kit | **Handboek Tai-chi Chuan, gb**<br>ƒ 50,50/925 BEF/€ 22,92 |

## TAROT

| 90 215 8590 1 | Banzhaf | **Handboek Tarot, gb**<br>ƒ 45,00/825 BEF/€ 20,42 |
| 90 6325 545 4 | Docters van Leeuwen | **De Tarot en de Bijbel, gb**<br>ƒ 34,90/640 BEF/€ 15,84 |
| 90 215 8985 0 | Docters van Leeuwen, | **De Tarot in de herstelde orde, gb**<br>ƒ 79,90/1460 BEF/€ 36,26 |
| 90 215 8577 4 | | **De Tarot in de herstelde orde, deck**<br>ƒ 40,90/750 BEF/€ 18,56 |
| 90 215 8709 2 | | **De Tarot in de herstelde orde, set**<br>ƒ 109,00/2030 BEF/€ 49,46 |

## TRUNGPA

| 90 215 9813 2 | Trungpa | **De grote oostelijke zon**<br>ƒ 50,50/925 BEF/€ 22,92 |

| | | |
|---|---|---|
| 90 215 9526 5 | Trungpa | **De mythe van vrijheid**<br>ƒ 37,90/695 BEF/€ 17,20 |
| 90 6325 237 4 | Trungpa | **Shambhala**<br>ƒ 34,90/640 BEF/€ 15,84 |
| 90 6325 393 1 | Trungpa | **Spiritueel materialisme<br>doorsnijden**<br>ƒ 40,90/750 BEF/€ 18,56 |
| 90 6325 404 0 | Trungpa | **Het Tibetaans dodenboek**<br>ƒ 35,90/660 BEF/€ 16,29 |
| 90 215 9867 1 | Trungpa | **De essentie**<br>ƒ 65,90/1210 BEF/€ 29,90 |

| | | |
|---|---|---|
| | **VERHALEN** | |
| 90 6325 365 6 | Buber | **Chassidische vertellingen, gb**<br>ƒ 60,90/1115 BEF/€ 27,64 |
| 90 6325 573 X | Van Eck | **Bidden met de benen, gb**<br>ƒ 34,90/640 BEF/€ 15,84 |
| 90 215 8986 9 | Van Eck | **Tot de deur zich opent**<br>ƒ 40,90/750 BEF/€ 18,56 |
| 90 215 8975 3 | Feldman/Kornfield | |
| | | **Met hart en ziel, gb**<br>ƒ 40,90/750 BEF/€ 18,56 |
| 90 6325 461 X | Gibran | **Spiegels van de ziel, gb**<br>ƒ 50,50/925 BEF/€ 22,92 |
| 90 215 9833 7 | | **Magische vertellingen, gb**<br>ƒ 25,30/465 BEF/€ 11,48 |

| | | |
|---|---|---|
| | **VRAGEN VAN DEZE TIJD** | |
| 90 215 8850 1 | Boteach/Geller | **Wijsheid tussen hoop en vrees**<br>ƒ 40,90/750 BEF/€ 18,56 |

## YOGA

| 90 215 9926 0 | Hewitt | **Handboek Yoga, gb**<br>ƒ 60,90/1115 BEF/€ 27,64 |
| --- | --- | --- |
| 90 215 8936 2 | Van Meijel | **Yoga**<br>ƒ 40,90/750 BEF/€ 18,56 |

## ZEN

| 90 215 8756 4 | Bedard | **Geloven in genezen**<br>ƒ 35,90/660 BEF/€ 16,29 |
| --- | --- | --- |
| 90 215 8886 2 | Huber | **Zijn wie je bent**<br>ƒ 20,90/385 BEF/€ 9,48 |
| 90 6325 558 6 | Knegtel | **Voorbij willen en weten, gb**<br>ƒ 30,90/570 BEF/€ 14,02 |
| 90 6325 584 5 | Knegtel | **Zelf-onderzoek, gb**<br>ƒ 33,90/620 BEF/€ 15,38 |
| 90 215 9803 5 | Knegtel | **De vrijheid om te verliezen, gb**<br>ƒ 35,90/660 BEF/€ 16,29 |
| 90 6325 569 1 | Scott | **Licht op Zen, gb**<br>ƒ 34,90/640 BEF/€ 15,84 |
| 90 215 8945 1 | Smith | **365 dagen Zen**<br>ƒ 40,90/750 BEF/€ 18,56 |
| 90 215 9712 8 | Toshio Sudo | **Zen seks**<br>ƒ 30,90/570 BEF/€ 14,02 |

Het credo van Uitgeverij Servire is het oeroude 'Ken uzelf'.
Wij richten ons tot mensen die verlangend zijn zich bewust
te worden van zichzelf en hun unieke taak. Servire wil
uitnodigen tot zelfinzicht en de mogelijkheid bieden hier-
aan vorm te geven in de dagelijkse praktijk door levende
kennis en authentieke inspiratie aan te reiken.
Wilt u meer weten over de boeken van en de activiteiten
rond Uitgeverij Servire? Neem dan een gratis abonnement
op ons boekenmagazine *Troubadour*. Dit verschijnt twee
keer per jaar en bevat onder andere interviews met auteurs,
fragmenten uit hun boeken, een activiteitenagenda en
overzichten van nog te verschijnen en reeds verschenen
Servire-boeken.

# T R O U B A D O U R - B O N

### Ik wil graag uw boekenmagazine ontvangen.

Dhr./Mevr.: ......................................

Voorletter(s): ......................................

Straat: ......................................

Postcode: ......................................

Woonplaats: ......................................

Stuur deze bon naar:

**Uitgeverij Servire, antwoordnr. 8111
3500 VV  Utrecht**

(Een postzegel is niet nodig)